劉福春・李怡 主編

民國文學珍稀文獻集成

第四輯

新詩舊集影印叢編　第141冊

【孟超卷】

候

上海：光華書局 1927 年 9 月初版

孟超 著

殘夢

上海：春野書店 1928 年 8 月 1 日初版

孟超 著

（署名：迦陵）

花木蘭文化事業有限公司

國家圖書館出版品預行編目資料

候／殘夢 孟超 著 -- 初版 -- 新北市：花木蘭文化事業有限公司，
2023〔民 112〕

138 面／126 面；19 ×26 公分

（民國文學珍稀文獻集成・第四輯・新詩舊集影印叢編　第 141 冊）

ISBN 978-626-344-144-6（全套：精裝）

831.8　　　　　　　　　　　　　　　　　　　111021633

ISBN-978-626-344-144-6

9 786263 441446

民國文學珍稀文獻集成 ・ 第四輯 ・ 新詩舊集影印叢編（121-160 冊）
第 141 冊

候
殘夢

著　　者　孟超
主　　編　劉福春、李怡
企　　劃　四川大學中國詩歌研究院
　　　　　四川大學大文學學派
總 編 輯　杜潔祥
副總編輯　楊嘉樂
編輯主任　許郁翎
編　　輯　張雅淋、潘玟靜　美術編輯　陳逸婷
出　　版　花木蘭文化事業有限公司
發 行 人　高小娟
聯絡地址　235 新北市中和區中安街七二號十三樓
　　　　　電話：02-2923-1455／傳真：02-2923-1452
網　　址　http://www.huamulan.tw 信箱 service@huamulans.com
印　　刷　普羅文化出版廣告事業
初　　版　2023 年 3 月
定　　價　第四輯 121-160 冊（精裝）新台幣 100,000 元

候

孟超 著

孟超（1902～1976），山東諸城人。

光華書局（上海）一九二七年九月初版。原書五十開。

候

孟超作

光華書局印行
1927

中華民國十六年九月初版

1——2000冊

每册實售三角五分

上海光華書局發行

目　　錄

I.　詩　目

2

3

4

5

II.　　畫　目

春　郊

楊柳

睜開了朦朧的睡眼，

去看這久別的塵寰，

人們仍是呼呼的酣眠，

惡魔仍是咆哮著在戰。

我垂垂的絲兒已經麻亂，

胸脯也不住的在顫，

殘忍的聲調終彈不到春

　　之琴絃。

嬌弱的姊妹們！

你暫合著雙眼，

2

傍在地母的身畔，

讓我舞著婆婆的翠衫，

站在時代前邊喚！

李花的舊醫：

嗅不盡污穢的血腥，

聽不完殺伐的金鳴；

我潔白的素衣上，

已洒滿了斑斑殷紅。

黃河之水幾時清？

人生悲劇何時終？

可怕呀，可怕！

震驚呀，震驚！

誰願將這鮮艷的花朵，

3

開放血泊之中；

我究是個懦弱的女性，

要永遠傍在地母的酥胸！

桃花的蓓蕾：

花爲詩人開，

詩人已在傷時悲哀；

花爲農人簪戴，

農人已逃出郊原之外。

月兒昏黃，

太陽無光，

只賸我紅灼灼半展的雲

霞，

對著這衰敗的枯楊，

4

在這慘淡的宇宙中，
是喊不出美愛的歌

唱。

李花姊姊呀！
我也願隨在你的後邊，
永遠吻在地母的唇間

小草

無人踐踏的樹陰，
只賸我孤芳自賞的小草；
柳絲已無再搖，
桃李仍含淚不笑。
我要呼籲東風，
請他掃除了鬥狗的

5

尸骸，
吹起了光華的春郊。

東風：

玄鳥呢喃著在唱，

水兒嘩啦嘩啦的流；

春光漸漸前走，

時間空自悠悠。

柳絲兒抖抖的狂擺，

小草盡著呼籲；

廣漠的郊野中，

桃花，李花仍是不醒呀！

我為你們掃除了骨髏，

我為你們洗濯了血跡，

6

聽呵：

束暴上詩人已在吟咏，

遍野中響起了犢犢的牛

鳴。

你們的慰安不遠，

你們的希求已在跳動；

我是新的前導，

我爲花兒散佈光愛，

春光不再，

開呀，開呀，快些兒開。

桃李同時開放：

萬道金箭顯耀，

宇宙一剎光明了；

7

美哉！美哉！

歡快！歡快！

東風：

人們同來醉此春觴，

人生不過一大歡場，

芳美燦爛的道路，

匆匆的走過，

永無回還的希望。

且到郊外奏春曲，

且在花下跳舞；

任他世界沉浮，

也不過蒼狗白雲追逐。

快哉！快哉！

8

春郊的雍雎，
春光的歡愛。

楊柳

風姨的手指輕彈，
春琴幽颺著蕩漾；
黑暗已被芟除，
光明已在閃動。
我好比處子的愛心，
向著天空渴望。
這如釀的芬芳，
豈能只限在窄狹
　　場；
借著東風吹送，

9

借著東風飛颺，

吹遍了郊野，

吹遍了市場，

吹遍了攘攘的人寰，

吹遍了沈沈的世界。

吹，吹，吹，東風無處不吹，

在，在，在，芬芳無處不在，

努力！努力！

東風努力！

姊妹們努力！

儂們沐浴在春光，

顧祝春之無疆！

10

小草，東風，楊柳合：

無疆！無疆！

祝春之無疆！

一九二三春。

11

初秋短吟

蟬聲息了，

蟋蟀代替著他吟哦，

大自然的詩壇更了，

呀！秋來了。

戰之音充滿了四壁！

秋露滴了，

醒我以瓊漿；

我已經被秋寒沁透了的詩心，

不覺的吐出了淒涼的聲音。

春去了，

12

夏又去了，

瀟颯的秋風，

一聲聲呼嘯；

偉大的生之建設，

漸漸的斷送了。

和平之路走盡了，

不久便轉到肅殺的途徑，

哦！殘忍的秋呵！

一九二二，八，二，晚。

13

臨　流

手執著離騷一卷，

來在了孤危的橋邊；

水影兒搖擺而飄蕩，

似楚大夫含笑招手。

愛人兒終不來嗎？

我欲隨流而遨遊！

一九二五，五，二六。

14

小　詩

風瀟瀟，
雨瀟瀟，
赴伊之約去，
心旌飄飄！

赴伊之約去，心旌飄飄

15

秋之荷

玉人之掌一般的荷瓣兒，
謝落在污泥裏——死去了；
人呢？

明年開徧了湖的中心
沒有今年的花瓣了。

呵！
偉大的死是新陳代謝，
方顯出生命是無盡藏的。

一九二二,八,三,

26

小　詩

　　瀟瀟的雨聲，
　　鳴鳴的風聲，
　　秋心，
　　侵佔了詩心。

一九二二，九，十二。

17

秋　末

狂呼的朔風，

被壓迫者的悲號；

亂杈的禿枝，

被吞蝕者的骸骨。

呀！

我心碎了，

不忍聞的秋聲！

不忍睹的秋色！

一九二二，十一，十六。

18

近蘇村前

結冰的河邊，

沙漠般的平源；

幾張塗抹的詩草，

半壺白而淡的殘茶，

一個髮兒飄揚的青年。

冰上站不穩的鴨兒，

滑來滑去，

ㄍㄚ！ㄍㄚ！

天空中找不到食糧的雀兒，

不住聲的哀訴

ㄓㄚ！ㄓㄚ！

19

荒涼嗎?

並不荒涼,

我親愛之樂鄉!

20

嫁　後

幼時同遊戲的一些鄰舍姊妹們，

現在都被婚嫁逼迫著分離了。

昨天我遇見伊——

——伊在當年是一個活潑的小女孩子，

常常地合我攙著手去採月季花兒。

今天却像不認識我一般，

旁顧著不睬我；

我要向前請求伊再同去採少

　　年之花去，

但覰覰著沒有勇氣。

呀！

人與人間的一重牆壁？

21

池　邊

詩人呀！
這是靜默中的慰安喲！

岸上的影兒倒入河裏，
水便是宇宙了；
"通，"
石塊兒投入了，
渺小的世界一陣顫動不住。

一九二二，十，六。

22

候

莊嚴森沈的園中，

只賸我孑然徬徨而徘徊；

愛人兒還不來嗎？

模糊的月影兒，

飛翔的落葉兒，

閃動在叢林之後；

使我屢屢的疑惑到

是亭亭的倩影緩步著在行。

呵！

我攘攘的情懷呀！

十一，二六月影淡時。

23

誘誨

愛是誘誨呢?
死是誘誨?

柔潤的歌聲嬝嬝,
瀟旎的舞衣狂飛在空際;
愛神張著輕盈的翅膀,
彈著四絃的琵琶,
在失戀者魂魄顛倒的時候,
向著他夢中飛來了。
伊說:
"柔荑般的手兒相攜,
玫瑰般的唇兒相吻。

24

宇宙在那時光明了;

戀吧!

戀吧!

再接再厲!"

烟塵兒雲捲,

大地迷茫而昏黃;

灰色的馬佩著黑的雕鞍,

滿負著髒髒的骷髏,

在憎惡世界的人槍口朝

　　著心口的時候,

牠向著沸騰的心潮中馳

　　奔著來了。

牠說:

25

"生之煩悶，
生之孤寂，
世界是沈濁的，
生活是無意味的。
死呀！
死呀！
到黃泉之路去！"

26

偶　感

我向伊笑，

伊報我以淚珠；

伊向我哭，

我心悄然而嗚嗚。

呵！

甜蜜的痛苦！

一九二三，一，十五

27

愛之獄

我將伊兩隻臂兒，

比成一雙銬鐐；

我將伊這片酥胸，

比成一座監牢。

被伊擁抱在懷裏，

酣睡在玉肌之上，

失却了我的自由，

消磨了我的靈魂，

只覺悠蕩而恍惚。

歡娛嗎？

也許是沉淪在渺茫之域。

伊呀！

28

伊是無上威權的天使，

伊是宇宙間偉大的神聖，

我迷蒙在伊香唇下，

無所逃脫的愛的禁錮；

我是囚徒，

愛之獄裏的囚徒！

一九二三，一，二一。

29

一對戀人

一對戀人

在金色的拂曉中,

來在了綠陰的河邊。

碧澄澄的水波,

因爲他們留下的一條痕跡,

也溶溶甜蜜而在戀。

他們笑,

水中的影兒笑笑;

他們偎傍,

水中的影兒也在偎傍;

吻——不住的吻,

水中,

30

岸上，
充滿了狂的熱情。

樹枝兒輕擺，
流水奏著音樂，
碧茸茸的艸茵之上，
他們已賺並而甜眠呵！
魚在賀歌，
鳥在賀歌，
似祝他們的歡樂！

不久，
一轉瞬呵；
無情的石塊兒，

水中，岸上，充滿了狂的熱情

31

飛渡到水中旋轉，

魚沉了，

鳥飛了，

一切影兒寂靜了，

一雙戀人，

也驚懼倉皇而逃遁。

岸上，

水中，

一幕愛之悲劇，

情之空！

情之泡影！

一九二三，三，十旦。

32

雪後步月

皚皚的白雪，

洗出心旌般清白的晴空；

月華的寒影，

伴著浮雲兒飛騰。

只有點點小星，

挾著纖弱的微光，

逃躲在雲裳之上。

呵！

我欲乘風飛去，

翺翔在冰爽的詩之境域！

一九二三，一，十三病後。

33

遇

使我怎不佇停?

流利的眼波,
醇酡的笑渦,
脈脈在路燈之下的芳
蹤呵!

34

東風吹

東風吹，
吹向我心；
我心已搖蕩，
飛繞著伊的衣襟。

伊正在低吟，
我使伊回憶著舊痕，
勾起了愛的詩心。

伊在鳴琴，
我旋轉在琴輝；
伊心如醉，

35

鳳凰之曲妮嫋而柔潤。

伊在思我,
我心飛向伊心;
哪是我心?
哪是伊心?
我與伊心之溶混。

伊搵著鮫綃之中,
眼邊充滿著淚的新痕;
我心亦含潮而滋淫。

呵!
我離不了伊這顆愛心;

36

我之身，

永遠葬在伊身。

1923東風吹時

——3.29.——

37

清明漫畫

薄雲氤氳的浮，

微風細細的吹；

咋宵尚滴滴細雨，

今晨却繫不住踏青者的遊心。

看賽會的巳經走過，

理靚妝的還沒出綉閣；

嫩綠的柳叢中，

何透出一聲妮娜？

水波琤琮鳴著，

遠山懸在碧天；

38

桃李尚無語酣眠，
野花巳因風翻隱。

白堊堊的粉牆，
隔不斷娘娘的鶯聲；
涉莎的秋千架上，
晴空中飛起了素衣輕盈。

軟哈哈的翠茵，
對着煖洋洋的日輪；
明宇中何來一聲琳瑯？
原來是風箏在響。

絢縵的江山如笑，

39

環珮的聲兒清嘹；
徜徉的詩人醉了，
跑向春的懷中舞蹈。

40

相　思

且不論這種相思，是雙方
　　的，是片面的；
但是却有微微的詩意。
我將我愛人的名字，
寫在我皺皺的手心上；
在深夜無人的時候，
偷偷的去吻他，
也能重感著滑潤而甜適
　　的興味。

一九二三，八，二三。

41

別 春

——春末郊遊——

我挽著伊瑩潔的臂兒，

牽著伊清皎的衣裾；

伊終不爲我少留，

反把我帶到郊野中去。

春匆匆的來了，

又要匆匆的走去。

人生：

灼灼的日光，

漠漠的瀚海，

銀白色的逝水，

42

落花般的飄零。

春呀——我戀過的人！

柳鞭兒

打不斷我的枯悶了；

紫藤兒

也繫不住我的煩心。

我為你吹著洞簫，

我為你擊著鼙鼓，

你終要去嗎？

唱不完"時"與"生"的別曲。

黑雲嗚嗚的飛，

43

雷聲呼呼的吼；

初夏慢慢前走了，

更要繫不住春之離騾。

只賸張衣披髮的詩人，

公孫樹下長吁；

春匆匆的來了，

又要匆匆的走去。

一九二三，五，六。

44

陰晦天氣遊桃李園

春姑娘與伊的戀人合歡
　　去了，
只賸下愁洋洋的梨花，
對著雲天垂泣；
哭紅了眼圈的桃花，
緊靠著紫絨樣的峭壁
幽靜的園中，
沉寂呀！
沉寂！

43

愛與痛苦

日陰低低的沉沒，

狂風慢慢的止息，

漣漪的河畔，

垂垂的樹叢裏邊，

無依的愛，

挽著寄生的痛苦，

喁喁嚶嚶的私語，

好似愛痛苦極了，

哀乞痛苦遠遠離去，

但他因爲被了他甜蜜的

　　　粘液的吸取，

更是無處可再寄生，

46

終於沒曾允許他，
末了，
愛泣了！
痛苦哭了！

月黑，
雲高，
沈沈的大道；
任他們咽嗚悲號，
寄生的
仍是寄生；
無依的
終是無依。
最後呵！

47

攜著手兒，
向熒熒的心光亮邈去了；
只賸下些噓噓的嘆聲。

一九二三，五，十三。

48

號　聲

是甚麼聲兒吹動我心兒
　　這般寒冷？

魚兒不躍，
水波徐興；
夕陽已步步西歸，
城堞的影子托在綠苔上
　　跳動。
雛容，
和平，
盡消失在無限的悲鳴。
嗚嗚的號聲！

49

蕭殺的號聲!

狂暴喇!

叫囂喇!

是囚徒的狂呼,

是嫠婦的夜哭;

是死神奏的雅樂,

是撒旦得勝的凱歌。

我的心臟巳經爆裂了,

全身的骨骼巳經交鉦。

聽,

再聽,

無力再聽;

颶颶的風,

50

啾啾的鬼鳴，

號聲，

死之象徵。

一九二三，五，二十。

51

遺　棄

只有這一朵餘賸的花朵，

讓他在熏風裏舞蹈吧，

提籃的姑娘，

太不留意呵！

摘在手裏，

戴在頭上；

後來

又隨便的她拋在水中了。

一九二三，五，二三。

52

無意的摧殘

　　落紅滿地的時候，
　　我不忍而又不能免却的
　　踐踏了謝落的花朵了！

　　　　　　　一九二三，五，三。

53

月　下

月光森列，

潭水幽冷；

笛曲遠處咽咽，

更柝打打不停。

梟鳥高笑，

潛入了沉寂的鬼境！

我咒詛人生，

我痛惡人生；

我是個孤零的山魈，

在這陰慘慘的月下，

讓我向荒涼中獨行。

54

笑　笑

採桑的小姑娘，
似有意似無意的向我笑笑，
蠶一般欲吐而吐不盡的
縷縷的愛絲呵！

一九二五，六，三。

55

反抗的呼聲

自從上帝受了欺騙，
醉臥在飄渺的雲間；
宇宙混亂，
終被撒且侵佔。

罡風在嘯，
海浪怒號，
蔚藍的天空沉沒，
水中的漣漪冰消；
徧樂園鋪滿了罪惡的花艸，
江河中流不盡狡詐的波濤。
何處囂叫？

36

昏黃中唱起了"惡"的頌禱。

人們，

亞當的子孫！

你們永遠污辱在惡的跨下嗎？

你們也要永遠喝這引誘的毒漿？

醒！醒！

晨鐘在響！

囚徒，

一切反抗撒旦的囚徒！

我站在帕米爾高岡，

來，來，

聽我拚著喉嚨喊

57

唱：

"廿世紀是破毀的時期，
我們後興的機會已到；
牢門開了，
銬鐐斷了，
拚著反抗的精神，
幹吧！幹吧！
與惡宣戰！"

58

雲

雲無心的飛，
把月兒掩了！

59

幻

燈兒吹息,
月光飛過紗窗;
久已失戀的我,
只疑是愛人到了,
制不住的愛之烈焰狂燒,
使勁的向她吻抱。

空空的——影兒,
冷清清的——衾枕,
她是沒曾消受過愛的處子,
羞怯怯的向著窗外逃遁。

一九二三,六,三十。

60

夢　後

誰說這是虛幻的呵？

愛人呀！

你終莫是失敗吧？

你屢屢的拒絕我，

不讓我偎你傍你；

呀嬌羞的面龐已經合我

　　　的臉兒斯並了，

毒蛇般的紅舌也合我的

　　　唇兒接觸了。

昨夜夢神飛來的時候，

我竟能熱烈烈的

6]

甜蜜蜜的，

將你吻了再吻，

抱了再抱。

不敢希求的確巳實現了，

孤峭的人呵！

合王冕上的寶石一般珍

　　貴的愛，

怎想到在這輕烟樣的世

　　界裏得到。

勝利呀！

我終于勝利了！

　　　　　　一九二三，七，一。

62

熱情的然燒

我好比一段秋末枯荒的草原，

呼呼的熱情之野火，

不住的向我五中燃燒。

心靈已經沸騰了，

血液兒也已經熬乾；

至于這最後呵！

全身的骨骼，

又已在燥烈的火中爆鳴。

啊！

我怎敢有五百歲再生的

　　　奢望，

63

如其是作那集香木自焚
　　的菲尼克斯從死
　　灰中更生；
何若趁著這炎炎的熱情，
盡量的哭呵，
盡量的唱呵，
向著灼灼的洪爐中討生。

一九二三，七，六。

日正中

"

瘡 痍

在什麼時候才能從這紫
　　　色的腐血中開出
　　　豔麗的花朵?

身體的瘡痍，
心靈的瘡痍，
一切一切…………的瘡痍;
我的肌肉已成了黴的世
　　　界的象徵了，
無量數瘡痍在我身中萃集。

刀來，

63

剜去了潰爛的死肉，
洗溜,刮盡這一切穢惡的
　　膿水。
胭脂似的鮮血已瀑布般
　　涓涓的流成了泉
　　流，
新生的愛之花又朵朵的
　　從泉流的血泊裏
　　邊蓓蕾開放。

痛楚!
我儘管忍受著割裂凌遲
　　的痛楚，
我確能自覺我是人類中

66

強項的一個，

終不相信這一切………

————一切的——

能永久的在瘡痍裏邊困

頓！

一九二三，七，二六。

67

瘋

使人怎能不瘋呢？

魔窟般的世界，

蛇蝎般的人羣；

蠅在糞堆上活動，

屍從靈柩中長鳴。

年青的人呵！

我們的寶刀已經鈍了，

如何這熱血仍是不住的

　　　沸騰？

斬不斷這一重重的孽障，

怎使人不瘋呢？

瘋吧！

68

幻　光

一縷輕颺的幻光浮動在
　　我的眼底腦中，
我彷彿是御黃鶴一樣迷
　　惘在浮雲上層。
俯視這幽茫的虛影搖動。

不可測臆的劇幕剛剛開放，
裏邊的蛺蝶兒飛著，蜜蜂
　　兒也正在遊翔；
菖蘭，玫瑰爭隨著薰風拂
　　送芬芳；
女蘿含著笑睇，攀附在蒼

69

松之上。

蒼松上懸著些星星點點
　　　　的火燄，
刹那間熊熊的燒紅了翠
　　　　綠的樹叢；
火光中輕步著現出了
　　　　螓首的女郎，
身被著薜荔的羽衣，
手提著玲瓏的四絃提琴，
如狂般燦爛的青烟紅霞
　　　　裏邊歌唱。

助燃的狂風挾著虬龍怒號，

70

蒼茫中赤色的火燄呼呼
　　的焚燒；
提琴已經枯焦了，
羽衣兒也變成灰蝶兒在
　　空中狂飄；
只賸伊嬌瑩的玉肌，秀麗
　　的長髮，
赤裸裸的夜叉般擁抱著
　　　祝融之子在光熱
　　　中舞蹈！

後來：
歌聲將斷未斷絲絲的無
　　　力再續了，

灰成變也兒衣豽
飄狂中空在兒蝶

71

乳白而窈窕的身體也向
　　　著烈熾裏傾倒；
只有呵，一堆髒髒的白骨，
已成了灰燼仍在洪濤中
　　　煎熬。
一聲巨烈的霹靂把我從冥
　　　想中喚醒，
杳無半點聲息的素幕驟
　　　然關閉了！

　　　　　　一九二三，八，二十。

72

憐 憫

要我憐憫你們中的誰呢？
被捉撲著的蝴蝶，
與因捉撲蝴蝶而跌傷的
女郎呵！

一九二三，八，二七。

73

秋　聲

一陣寒透了羅衫的金風，

秋更漸漸深了。

叮　叮

筝　筝

促織兒的聲，

大自然的琴韻在鳴，

蟲世界驟變了無限幽哽。

我，新病，

懦的心抖抖的噤冷；

呵！

悲的秋聲！

一九二三，九，一。

74

小　詩

秋將雨點灑到正開的洛
　　陽花上，
花便猛然覺到生命的速
　　率了，
從淡黃而清麗的花冠上，
瀉下了無數水銀樣的淚
　　珠。

75

殘　荷

蕩漾的波花涸竭，

乾燥的汚泥皴裂，

小小的水池中，

只有這瘦脊衰弱的枯莖，

披著件破碎襤褸的翠黃

　　衣衫兒狂舞；

呀！

我之小影呵！

孤獨獨一枝——只有一

　　　枝的殘敗的荷葉兒

又顚籛在凄風苦雨裏摧折！

76

靈的憮憟

這又是一件蜜一般甜適
的趣事:

夢在蒙茸茸的碧岡,
枕著溪溪的流水;
上看彩霞穿入雲心,
又聽那黃鶯兒嚶嚶嚅嚅
的唱鳴。

影片原是變換的,
剎時——靜了,
從靜中又幻出溫柔歡愛

'77

　　的仙境。

飄飄的，
茫茫的，
我心飛入了沉醉的樂鄉，
身體也輕浮在太虛之上。

碧岡變成了滑凝的乳峯
流水也成了那芳唇上吐
　　　出來的愛之瓊漿；
雲霓，飄的佩帶，
嚶嚶嘴嘴是燕喉中嘹喨
　　　的歌聲。
我欲攤化在暖輭的擁抱

78

之中，

孤寂的人一瞬間心意酥

溶；

纏綿呵！

幻的愛是靈的懵騰！

一九二三，九，二一。

79

狂 飇

吼,怒吼!

陰慘慘地暗天愁!

不周山石梁傾倒!

數百萬鐵甲啣枚疾走!

澎湃,黃海的濁浪煽擺!

搖動扶桑的火山崩裂震盪!

急驟時虎嘯龍舞!

沉停時,咽鳴之螯婦夜哭!

狂飇張破毀的黑幟!

狂飇挾革新以俱來!

80

推翻埃及金字寶塔！

拆毀中國長城環帶！

我欲爲上帝重建瑤台！

我欲叩天闔而淨殿階！

披蒼黃之彎的封氏女郎

呵！

來，駕六龍而遊徊！

一九二四，四，六。

在浮誌

81

痛飲之章

鐙火煌煌，
情思洋洋，
請錫我以兕觥，
以澆我心之憂傷。

樽既盈矣，
肴既成矣；
奚瓊漿之淡薄，
非醉我以伊人之顏酡！

盞既傾矣，
鼎既空矣；

32

奚玉液之釀濃，
竇迷我以伊影之迴縈！

夜尚未央，
酒力未暢；
來，請再進我以葡觴，
以殺反側之悲愴！

夜尚未闌，
酒力未酣；
噫，乃我心之孤單，
非酒力之辛酸！

頭目暈眩欲吐，

83

縹綿之幻光翔舞；

燕婉之求不得許，

碎此杯以當哭！

　　　　　一九二四，四，二九。

84

現實的追求

大地靜悄無嘩，
微聞心絃答答；
我欲鼓腹而唱夢歌，
怎奈這玻璃已破。

雀兒展羽翼翔飛，
神們駕祥雲繚蔚；
我欲建渺茫的寶塔，
又怎奈這幻的燭光已灰。

屋內蒼烟彌漫，
窗外細雨瀝瀝；

85

杜宇一聲聲不如歸去，

驚起了人生幽秘酣眠。

野犬龐龐狂吠，

血葉兒跳動欲飛；

將水紋的圈兒擊碎，

追求呵，到現實中溶混！

一九二四，四，二九。

86

戰爭中的秋

鋤兒拋滿了田圍，
工廠裏烟筒上的的雲烟
消散；
一陣陣蕭殺的秋風寒，
吹起了四邊的炮聲亂；
呵！
驀見失業的人們秋葉兒
般！

唳唳長鳴，
被摧殘者的哭，
枯艸黃葉，

87

破爛衫兒舞;

不忍睹的秋呵!

漠漠的荒沙上,

血染出一幅哀鴻圖!

秋雨——淚雨,

紅葉——血淤,

工農們的力巳枯,

虎狼們仍在堂奧中衝突;

呵!

秋之魂,

已被強梁的人兒佔據!

一九二四,十,十五。

88

秋　寒

客中寄 C

天寒薇衣單，

況是羈旅客邊？

淒涼涼的燈，

衰颯颯的風，

又加上點點滴滴斷續不

　　　停的雨聲；

破衾輕冷

更顯得嚴嚴的身兒孤零！

琴無聲，

歌兒不成；

89

一灣淞江水，

洗不盡別緒離蹤。

"去吧！

創造你新的光明！"

咳！

無奈四處都吹起了秋風！

一九二四，十，十七別時，她的贈言

90

旅　況

秋風怎這般急驟?

孤零的身兒又被它吹的

消瘦!

卿愁未休,

又加酒後;

移病體,

寂寞悄倚樓頭。

呵!

月如鈎,

驀然又想到別的時候!

離人情緒,

月如鉤,驀然又想到別的時候

91

怎這般輕蕩，

一重重浮在心絃上；

伊人無恙？

故鄉或仍是愁鄉？

呵！

怕聽琴聲，

不管人煩惱的環珮玲，

又在隔壁少女的指間出

颺！

．．．．．．．．．．．．．．．

寫不盡的旅況！

92

鬼的憧憬

四周渾如死，
萬籟靜無聞；
淒涼涼的灰之羅闈，
遙對著瀟瀟地白楊叢林。

月兒披了飄忽的羽衣，
橫拖著粉堊的裙屐；
枯竭了淚泉的哭眼，
俯視彈丸的大地。

帷內燐燈盈盈，
白楊的葉兒茫茫中閃動；

腐尸兒理了他的殘粧

93

銀白色的玄光，
驚醒了幽靈的酣夢。

腐尸理了他的殘粧，
緩緩的從柩中爬起；
蹣跚著走出墓塲，
遙向人的城市吁氣。

他感著生之陳迹，
他覺到長眠的幽抑；
涸的泉又層層波起，
懷抱著黝黑的鐵花咽泣。

他回憶到市客的哭聲，

94

他思念著瞑目時寥寂；
宇宙中終古的長殞，
空渺呵，剎那間的靜秘。

他有白眼刺他的仇敵，
他有憐他憫他的朋友；
甜蜜而雕和的幻光，
又畫出擁抱在愛途的攜手。

未焚化以前的故紙，
寫滿了散亂的橫豎；
生之路爬過的足跡，
也不過留些不堪回首的
戲劇。

95

酸, 甜, 辛, 苦的感覺,
好像是橄欖的澀味;
他踽踽的向前探尋,
要了解故鄉的迷謎。

烏混的嵐障彌漫,
沈濁的厲氣騰翻;
遙望著灰暈的濃圈,
隱現出久別的魔殿。

辣蒜的惡臭冲天,
夾雜著肉臭迷亂;
凸起了污爛的糞田,
幽窒的空氣沈澱。

96

岩岩齦齦的白骨，

扠扝著架起了柵門的掩閉；

罪惡之流裏飄出的渣滓，

腐爛成骯髒難聞的穢跡。

走過了掙扎的浮橋，

打破了有孔無鑰的秘鎖；

驕奢狂蕩的池中，

浮靡的白蓮臨著腥風綽

　　　　　約。

撕扯破的皮膚狼藉，

互嚙膌的骷髏如山；

排擠的足印交錯，

91

像松葉般縱橫紊亂。

傾軋合自私的血水交流，
怨舟上有努目凶很的塑
　　像翹首；
頹敗者的斷肢裂骨堆積，
殘忍呵，滿目中盡是獸的
　　奔走。

巍峨巉巗的金色高塔，
塗抹徧了排泄物的黐溚；
瘦削的影子徘徊著前走，
又發現了膿瘡上的蠅蛆
　　鳴哩。

93

行過了藍色籠罩的罪光，
走進了蟲兒蠕動的糞場；
從慾絲織成的羅幃裏邊，
嚶嚶的又透出了浮蕩的
　　　　歌唱。

多少毒焰內燒的男女，
赤身裸露著擁擠；
媚浪淫濁的黃露圈中，
在行那生殖器官的交易。

哪是他殯時的弔客？
哪是他惡毒的仇敵？

99

環聚在搶喫他腐壞的肉
　　　體，
對著他的軀殼嘲笑，咒罵。

同他沈醉在甜蜜之釀的
　　　侶兒，
早把那喪時素衣疊起；
愛果擲向別處去了，
懷抱著陌生的人兒淫戲。

他流不盡枯竭的乾淚，
他止不住急喘的胸懷；
生之慾燃著悲憤的餘火，
熱灼灼的把他的骨骼燒

100

化。

他靜聽著心的鉦鳴，
他覺出四肢的攣痙；
他悔了，不再迷戀這生之
　　　塵埃，
垂著頭兒走回原徑。

月兒息了光，
滿郊中啼起了喔喔的雞
　　　唱；
黑洞洞的玄謎解了，
贖有白楊樹上濕淋淋的
　　　露降。

101

東方中嚴酷的日光射上，
大地更罩上了細密的罪
　　　網；
靜穩的腐柩闔矣，
遺留下荒涼的曠場！

102

寄君桃花一朵

寄君桃花一朵，

這是在龍華塔影之旁，

那株北向的樹上的探擷；

愛人兒呵！

請接受我這微渺的情誼

　　　吧。

緋紅色的花瓣上，

曾經有我輕輕的一點吻

　　　痕！

寄君桃花一朵，

流浪者的鄉思，

103

差不多也這樣的關不住
　　了；
愛人兒呵！
請默想這柔靡的消息吧，
切莫問江南春潮如何；
遊子，桃花，
一般的在東風中零落！
一般的在流水中飄泊！

一九二五，四，十六。

104

自你走後

自你走後，
月兒失了她的光芒，
星星也不再微笑；
只有那不停的細雨，
倘點點滴滴滴到我的心
　　裏。

自你走後，
翠杯上落滿了塵埃，
邁逗鈴的絃上籠亂了蛛
　　絲；
那綠蔭半遮的樓頭，

105

却添了一個離思懺綮的
　　人兒。

雁兒已來過數次，
淒涼的客邊想已浸透了
　　　秋意；
我從落花時節，
一直候到紅葉飛了，
只是盼不到你的消息。

夢中也曾得到你的素箋，
說是桂華飄時，
已在江上掛著歸帆；
而今西風緊了，

105

為甚麼終是不見回還?

107

病 院 中
——給某看護女郎——

請不要笑我這般的憂傷，
　　　頹喪，
請不要憐我這般的瘦弱，
　　　枯窘；
我這灰白的嘴唇上也曾
　　　狂醉過猩紅的櫻
　　　吻，
我這浮影般的肉身也曾
　　　追逐過妖豔的女
　　　人，
而今，殘敗的青春已在酒

108

綠燈紅中灰燼!

簡短的聽筒聽不出我血
液的寒震,
紫紅色的藥水也醫不了
我心的傷痕;
姑娘,請用你那素白的纖
手,
在我這痛楚的胸間多多
的撫摹一陣
可憐我是一個失掉愛的
病人!

一九二六,十,十八,秋雨淒涼之夜。

109

戰場上的野花

我是在頹廢的戰場上開
　　放的一朵野花，
滴滴的烈士的鮮血曾經
　　向我的蓓蕾中滋
　　漾；
而今，烈士的屍骸已在嚴
　　霜烈日中腐化，飛
　　揚，
死沈沈的世界上只留下
　　我這點悲壯的遺
　　跡來點綴這暮景
　　的淒涼。

110

啊!

漫漫的曠野中燐燈熒熒

的照曜,

陰森森的蒼林裏又有啾

啾的鬼聲哀鳴;

在這披素衣而慘舞的月

娘的銀色襟邊,

那有心情去學那妓怯怯

的薔薇,

犧牲在美人名士的腳下,

聽,寒笳吹了,

讓我在未來的腥風血雨

中謝落!

111

懺
——代　跋——

胭脂般的葡萄美酒

已經嗑盡，

幽颺的披霞那聲

已經消停；

我狂燒的熱情冷了，

再禁不起你纏綿的歌聲；

　　去吧，去吧，………

　　我輕盈的多情！

悔不盡緋紅色的幻境，

懺不完天鵝絨般的歡情；

112

我是個碎了心的人兒，
再不能讓這飛逝的青春
在夢幻中纏縈。
　　歸來呵，歸來呵，………
　　我飄忽的魂靈！

114

此書付印時，蒙王蕤兄爲
繪插圖，劉明旺兄爲繪封
面。特此誌謝！

115

勘 誤 表

頁	行	誤	正
4	1行	"無"字下脱一"力"字	
11	5	"壇"字下脱一"變"字	
13	8	"隨"字下脱一"清"字	
15	7	脱標點	","
26	題目	僵	偶
28	3	"唇"字下脱一"之"字	
35	9	中	巾
43	5	張	長
44	8	脱標點	";"
49	1 行下應空一行		
51	10	"的"字下脱一"把"字	
60	9	坏	知否

116				
66	3	3	——一切的——	‥一切的…
68	7		。	，
73	7 行下	脫"蟈蟈兒的聲，"一句		
79	9	勵字下脫		"，"
86	13		，	；
87	6		雨	珠
88	10	"冷"字脫一		"，"
89	末一行	"別時她的贈言"應刪去		
90	6		痼	鄉
95	14		市	用

殘夢

迦陵（孟超）著

春野書店（上海）一九二八年八月一日初版。原書五十開。

轆轤小刊之一
殘　夢
迦陵著

轆轤社編

上海春野書店印行
1928

1 9 2 8. 8. 1 初 版

版 權 所 有

每冊實價洋三角五分

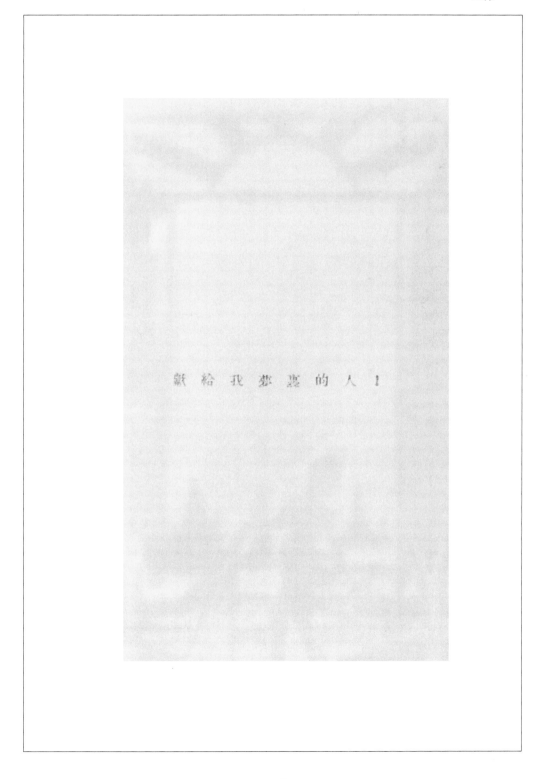

獻給我夢裏的人！

殘　　夢

相　　思

（一）

海燕翩翩展雙羽，
我欲托之寄素書；
伊人住在山之隅，
山高路遙不得去；
何以慰我相思苦！？

（1）

★ 殘　夢 ★

新月瑩瑩懸明珠，

我欲以之贈彼姝；

伊人往在海之曲，

臨流低徊悄無語；

　　燕婉之求何時許！？

(2)

相　　思

（二）

願彼化月魂，
　皎潔懸碧落；
照我相思人，
　歡夢永不破！

願彼化春風，

（3）

★ 殘　夢 ★

彿蕩無停已；

吹我相思意，

　送彼胸襟裏！

花雕酒

盈盈花雕酒，
注滿夜光杯；
勸君一杯君須醉，
莫把酡顏憔悴！

輕嘗胭脂水，
思量女兒味；

（5）

★ 殘 夢 ★

今宵歡聚今宵醉，

消盡過去憂悶！

　　　　　五，二三，

　　　　　　　萬雲樓飲罷歸來。

（註）（1）　花雕酒一名女兒酒。

（6）

銀　光　下

髪兒瓢
　手兒搖
月光下
　淒涼的
她去了

路燈後
（7）

★ 殘 夢 ★

影迢迢
素衣兒
　轉過去
不見了

心魂中
　輕渺渺
只賸我
　孤另的
尋舊道

是何人
　弄清簫
似金風

（8）

★ 殘 夢 ★

沁入了
我心捐

音嬝嬝
　聲繚繞
我被他
　沉醉了
在今宵

月漸闌
　鷄已叫
這時候
　想伊人
已睡了

（9）

★　殘　夢　★

聽四周

　靜悄悄

叩不開

　銀光夢

何處敲

(10)

再　遇

—— 獻給我的 Beatrice ——

姑娘，我們今天已經是第二次相會
　　了，

記得在兩月以前朋友處我們也曾驀地
　　裏相見；

那時彼此間雖然脈脈的不通一言，

可是我心中的愛餤已經呼呼的烈火一
　　般。

(11)

★　殘　夢　★

這兩月中我狂亂的腦中也曾把你的姿
　　態熟溫了幾遍，
這兩月中我失了魄的心魂也曾爲你的
　　倩影迷惑了幾番；
今回，今回無意中的相見雖然才隔了
　　短短的時間，
在我心中已好似 Dante 再遇 Beatrice
　　九年般悠遠。

你知否我孤另的心胸已被你引起了深
　　摯的熱情，
你知否我消失了的青春已被你煦照的
　　和風喚醒，

(12)

好似Dante再遇Beatrice九年般悠遠

★ 殘　夢 ★

姑娘，你悄然無聲，我接受了你默默
　　的偉大的靈明，
我這朽敗的軀亮已在你澄凈的潔光之
　　下新生！

這肴酒雜陳的華筵雖不是Florence的
　　街衢，
可憐我癡坐在檯前同樣的找不出言語
　　訴出我的肺腑；
姑娘，只等你筵罷在素衣之畔拖着我
　　的靈魂盈盈歸去，
這時候，這時候我心中又被了憂愁侵
　　據，宇宙間再沒有甚麼可以安慰
　　我的悲苦！

(13)

從劇場中出來

別了她獨自的從劇場出來，
看四週的夜景清凉寂靜；
電燈的微光已是淡籠衰紅，
人生的歡情也漸入浮夢。

飄飄的柔心似從雲端墮落塵埃，
軟咍咍的弱身又似中酒般疲憊；
一個人負着無限空虛獨行，

(14)

★ 殘　夢 ★

腦泉中又把素幕的影事廻縈。

呵，你落拓不羈的文士！
呵，你身世蒼凉了的繡女！
人生是總免不了愛與死的悲苦，
戀情終受不盡磨蝎牴牾。

遊春，絢爛的春光已去，
悲劇使我滂流了淚海的哭雨；
戲中人如花的歡娛一刹消去，
我滿腹的狂愛怕不久也這般盡棄荒土
！

從北京大戲院
看『La Boheme』出來

(15)

殘 餘 的 春 意

半老的春光猶自駘蕩瀲灩，
似水的年華仍是流逝潺湲；
無賴東風吹落夭桃片片，
散花的紅雨正淒迷廉纖。

晴光中穿梭般剪忙了雛燕，
飛絮兒擲雪般又曼舞輕轉；

(16)

★ 殘 夢 ★

騷人心緒四月天，
況又值相思魂斷。

我傍清流候了半天，
鴉聲中驀閃出素影翩躚；
昨宵的殘春猶帶餘寒，
今朝呵，你却換了薄薄輕衫。

姑娘，你是站在時代前邊，
可憐我春光已隨在酒痕消殘；
看姹紫嫣紅都付予一聲杜鵑，
這番花事怕又在夢裏闌珊！

(17)

夢　絲

將一縷一縷的夢絲，
織成了懵騰而幽適的迷綱；
我酣睡在漫漫的綱中，
苦悶的的心情化成恬境。

白雲飄忽的恬境，
是怎樣的歡娛而寧靜；

(18)

☆ 殘 夢 ★

但是鷄聲唱了，
虛渺的黑影又謝謝飛騰！

我何嘗不知道迷夢終有醒時，
我如其在醒中憂煩孤另，
情願在浮雲中度過了我的一生，
永遠的，永遠的死而不醒！

(19)

幽　恨

自君離我後，
　我已消瘦起；
思君十二時，
　淚下垂千滴。

我願化鮫人，
　可憐淚已巳；

（20）

★ 殘 夢 ★

不願抑鬱生，
　寧願吞淚死。

待到我死時，
　相思仍依依；
定不守荒坵，
　伴君夢魂裏。

夢裏訴我情，
　永恨君薄倖；
雖成兩世人，
　猶來相廝並！

(21)

讚 美 與 怨 望

我曾翻偏了昔人的戀詩，
　總找不出你恰當的讚詞；
那些雕飾浮泛的句兒，
對你終嫌是輕薄污辱。

你是白雲飄忽的皎月，
你是閃爍光明的星星；

（22）

你是大理石般的人兒，常常的，
常常的供在我的心靈。

★ 殘 夢 ★

你是大理石般的人兒，
常常的，常常的供在我的心靈！

我曾不相信甚麼上帝，
我心目中也沒有甚麼主宰；
只在你莊嚴的潔光底下，
你已成了我惟一的神祇！

呵，我慈悲的神祇！
難道你的心兒也是大理石的；
我曾三番二次向你示意，
為甚麼你總是毫不憐惜！

(23)

電 車 上

啊，我身邊又加重了幾分空虛！

兩禮拜的渴別，
不能已止的相思；
扶着車窗兒，
匆匆地三言兩語。

(24)

★ 殘 夢 ★

『再會！』
一瞬間——
她去了！

我追不上電車的飛奔，
只有站在鐵軌之旁，
悵望着她的衣影！
悵望着囂騰的塵土！

遠了！
看不見了，
只膌我向着那停車的路牌惆悵！

六，五，傍晚。

(25)

女　友

來了許多的女友，
沒有我心中的那個；
我看見她們的笑語，
忽然感到自己的寂寞！

我心裏懷念着她的俏語，
我心裏思量着她的眉盼；

(26)

★ 殘 夢 ★

她們絮絮的同我攀談，
我却忘却了同她們講話。

她們說我失神，
我的失神是爲誰個？
任你們怎樣嘲笑喧嘩，
總引不起我半點快樂！

她們悵望的走了，
並沒有帶去我的寂寞；
爲她對不住朋友，
我還有甚麼話說！

六·四。

(27)

懷

我怎能忘却的
你那亭亭的倩影；
我怎能颺下的
你那娜娜的步行；
我眼角微微的合上，
你那飄飄的素衣，
又在我夢魂裏纏縈。

(28)

★ 殘　夢 ★

月影是惢惢朦朧，

電燈又昏暈的閃紅；

今宵，今宵你在何處佇停，

知否有個人兒在爲你惑煥？

你那幽靜而甜美的睡中，

可也有一個靑燕尾服

黃色褲兒的靑年入夢？

　　(註)靑燕尾服黃色褲兒爲維特死

　　　　時所着衣服，後稱爲維特裝

　　　　。

(29)

消　　息

從前在朋友處曾聽到你的消息，
說是你過去從經受過愛的辛酸？
說是你現在仍然是獨翔的孤燕，
隨在這往風暴雨裏邊飛轉。

她爲你淒涼浩嘆，
我的心裏更鉤起了身世的傷感；

(30)

★ 殘 夢 ★

你是孤苦零丁天涯飄泊，
可憐我流浪的人也是無處歸逗！

指　　環

我向她手上的指環呆望，
　我看見它長出了小小的翅膀，
我看見它笑微微的向我招手；
呵，指環！呵，姑娘！
何時才讓這小小的翅膀，
　　飛到我的指頭！
　　飛到我的心上！

（32）

心　束

我曾用我潔白的心箋，
　書空的寫了幾封情束；
把他仔細的遞到左眼右眼，
隨卽又靈愎的傳到你的眉邊。

我幾次向你輕覰斜睇，
我數番把視線挪移飛博；

(35)

★ 殘 步 ★

姑娘，我候了一分二分時間，

為甚麼你眼梢沒有半字覆函？

(34)

贈　品

夢裏想送你一點贈品，
　醒後又怕遭了你的拒絕；
可憐我囊中只有零碎的詩句，
金錢上却是一個窮苦的措大！

我還有一顆赤淋淋的血心，
我還有滿腹沸騰騰的熱情；

(35)

★　殘　夢　★

姑娘呵，若蒙你為我垂青，
我要傾盡了我的所有相贈！

(86)

嬰　兒

姑娘，你對於嬰兒怎這般殷勤，
　使我恨不得追回我消逝了的青春
　　；

慈愛的面色正像聖母瑪利亞的潔純，
爲甚麽不也向我的頰間甜蜜的一吻？

我對你的情絡合嬰兒同樣的天眞，

(37)

★ 殘 夢 ★

我的心靈比木石般的嬰兒更活潑十分
；
只是我憔悴的韶華已在榴火中灰燼，
姑娘，我懇你在此一刹間作了我司春
　的女神！

絲　巾

她去了遺留下一方潔白的絲巾，
不曉得她是無意還是有意深深；
上繡着一隻五彩繽粉的文禽，
還有一只盛滿葡萄紅酒的金罇。

錦爛的文禽喚起了我柔暖的愛心，
金罇裏的紅酒沁醉了我和煦的靈魂；

(39)

★ 殘　夢 ★

我狂熱地拿着這絲巾兒吻了再吻，
我獨對着銀缸將絲巾兒親了再親。

這巾上斑斑點點洒滿了她汗淚的污痕
　，
這巾上蕩漾着蘭麝一般脂粉的濃氣氳
　氳，
我不忍釋手的把牠珍重的藏在了貼身
　，
那引人遐想的幽香又直透進了我的內
　心。

我的內心裏得了這芸烟藹藹的陶薰，
詡詡的吹入輕夢又駕起了飄騰的浮雲

(40)

金樽霎地裏變成了胭脂般鮮艷的櫻唇，
文禽也化成了舞衣婆姿輕盈的伊人。

★ 殘 夢 ★

；

金罇慕地裏變成了胭脂鮮艷的櫻脣，
文禽也化成了舞衣婆娑輕盈的伊人。

不敢企求的幻想忽然的現出了真真，
怯懦懦嚶嚀却佇立她只有拈着衣袗；
我要消解了我滿腹相思的苦味酸辛，
如狂般的擁抱着她那虛飄飄的肉身。

使勁的幾番痛吻又幾番溫存，
她嬌嬈婉轉的又好像有些兒冷噤；
窗外的車聲轔轔打碎了我朦朧的幻雲
，
沈雷驚醒了迷夢伊人兒又變成了絲巾
！

(41)

Dante 的故事

────再獻我的Beatrice────

昔[1] 時有一個美麗的女郎，
　　曾有三個青年中了她的箭傷
　　　　　；

後來一個成了她的丈夫，
一個却失戀後萎靡頹喪。

(42)

★ 殘 夢 ★

此外更有一個不朽的詩人，
他將那愛的滋味細細的咀嘗；
枯悶的昇華盡寫于詩篇之上，
Dante的名字也永垂無兩！

他的詩名縱然是一時無兩，
可是他總挽不回人生的憂煩失望；
那在他心靈中盪漾着的姑娘呵，
他的『新生』一剎那便又渺茫！

他何嘗不知愛本是歡與愁的交流，
然而他的苦痛總是繼續悠久；
熱情鎔鑄了他的詩魂不朽，
他的幽靈也終向着幻影翹首！

(43)

★ 殘 夢 ★

他明知道愛的命運不會向他照臨，
姑娘，莫担心他為你顦顇；
嘔盡心血挽不回永逝的愛心，
讓神曲一齣葬送了他的詩魂深沈！

Parad'se[2] 的領導終是幻想的浮雲，姑
　　娘你永去了拖着幻滅的素巾；
『到此已經棄絕所有的希望。』[3]
現在呀，他永久的在地獄裏呻吟！[4]

　　　　　　　六，十二，夜雨凄其時

（註）

　　（1）最近日本菊池寬有一小詩，

★ 殘　夢 ★

與本篇一二節的叙述相仿。

（2）Paradise『天堂』Dante出了
　　　淨士的最後的一層，遇到了
　　　Beatrice 領導他進了『天堂』

（3）Dante 在『地獄』的門上曾看
　　　見這樣可駭佈的文句。

（4）Dante 在地獄的第二層，曾
　　　聽到 Paolo的愛及怎樣的為
　　　她丈夫所發見而已被殺的事
　　　。

（45）

流　言

因為我你曾遭了許多誹謗，
因為我你曾受了許多流言；
可是浮雲遮不了晚霞的嬌艷，
污泥也洒不上紅蓮的花瓣！

哪個白玉沒有微些瑕斑？
哪個星星沒有一時的晦暗？

(46)

★ 夢 殘 ★

人言總是流水一般膚淺，
姑娘，莫因這小虫的蠕動憂煩！

我抱怨你因此與我疏遠，
我憤恨你因此與我失却了晤面的機綠
　　；
牽連的藕絲難道能被蠶兒蛀斷，
姑娘，我要手刃牠們向你伸寃！

(47)

我的 Helen

愛墳終是合戰場一般的殘忍，
哪個生人可以失掉他的心魂？
姑娘，我的 Helen，我的 Helen，
我決心爲你把 Eliad 重演一陣。

到此沒有虛僞怯弱的友情，
到此只有戰鬥衝鋒；

(48)

★ 殘　夢 ★

我爲你甘心釀起了十年的血戰，
我爲你請願毀壞了Troy的舊城。

我請願因此牽動了天上的諸神，
我請願因此喪盡了全世界的英雄；
就是我自己的一切合生命，
也毫不疑慮的爲我美麗的人兒犧牲斷
　　　送！

姑勿論我是Mendlaus或是 Paris，
我面前只有擺着死合佔有你的愛情；
得金蘋菓的 Venus呵！
請坐看我的失敗或是勝利成功！

(49)

★ 殘 夢 ★

縱使十年後你已經消淨了你的青春，
不死時我終要依着你溫軟的胸襟；
姑娘，我的 Helen，我的 Helen，
請恕我把愛血與戰血在此刻橫流飛奔
！

痛　　飲

（一）

我不願繼續的強爲歡笑，
　我不願在人羣中痛哭哀呻；
我歡笑的面具已經撕破，
我竭了的淚泉也沒有半點水痕。
痛飲，痛飲，痛飲，
不管他是毒汁或是芳醇，

（51）

★ 殘 夢 ★

且把這頹靡的靈魂在鮮紅的波中燒燼
！

世界已在我眼底朦朧着旋轉，

人生我更覺到是一個冷酷的枯墳；

甚麼是愛，愛不過是騙人，

甚麼是美，美不過是醜之無倫．

我是個由塔上而跌下的死人，

再不憐惜這一刻兒的生存，

痛飲，痛飲，痛飲，

我只有一杯一杯的苦水，

終不會有嬌滴滴的櫻唇！

(52)

我只有一杯一杯的苦水，
終不會有嬌滴滴的櫻脣。

痛　飲

（二）

飲呵，飲呵，飲呵，
　　這美人嘴上的血水，
也澆不開我的心墳，
這是一個死之路，
也正是一個新生之們；
像我這樣的一個祕垂棄的肉身，

(53)

★ 殘　夢 ★

還有誰來憐惜溫存？
痛飲，痛飲，痛飲，
今宵，今宵是我陶醉的良晨，
也正是我死之良晨！

(51)

痛　飲

（三）

燭光已經漸漸的灰爐，
　慘白的涼月飛進窗內笑人，
去吧，你玻璃的翠杯
　　快到空中翱飛！
去吧，我滿腹的浮雲，
　　快向昏迷中消沈！

（55）

★ 殘 夢 ★

痛飲，痛飲，痛飲，

遙想那金迷粉醉中的人兒，

正沈溺在潔光之下蕩魄銷魂，

咳，可憐我的歡美何處進尋！

莎樂美之追蹤

愛而死，
　　被愛而死，
失愛而死，
愛的歸宿終是死吧！
莎樂美，
愛之狂熱的莎樂美，
你雖然抱着一顆血淋淋的頭顱，

(57)

★ 殘 夢 ★

但是你確能夠吻到那毒汁噴射着的紅
　　色毒蛇了，
你也能夠得到這田野間沒有刈過的百
　　合花一樣潔白的身體，
可憐的我——
人們盡是棄我的約翰，
我遙望着希律王宮之故墟，
懷想那七襲面紗之舞而哀羨。
我是你的一個追慕者，
讓我作一個叙利亞少年，
高唱着幻滅的夢歌，
酣睡在死之樂園！

(58)

Cafe 中

且莫叫吧，紅衣的女郎！
我是個從愛場歸來的人兒，
一杯淺草般檸檬的淸茶，
再也感不到半點的爽凉；
　　可憐我心中正說不出的憂傷！
　　可憐我心中正說不出的彷徨！

(59)

★ 殘　夢 ★

且莫叫吧，紅衣的女郎；

我知你是一個賣愛的人兒，

任管你怎樣的低笑輕顰，

我沒有心情來接受你半點殷勤；

　　可憐我心中正壓不住的枯悶！

　　可憐我心中再動不起絲毫波痕！

(60)

澀酸的回味

窗外啼紅了杜鵑，
　窗內憔悴了紫蘭，
海天中沈迷了魚雁。

是風兒吹動了金環？
是燕兒蹴響了琴絃？
是心葉兒被她挑亂！

(61)

★ 殘 夢 ★

星星藏躲在雲間，
鶯兒不再低聲呼喚，
輕烟兒也冉冉消散！

去了，她不再回還，
似蝶兒翩翩的飛過女牆那邊，
影子也殘褪的沒有半點！

我洗不去璞玉上的碧斑，
我忘不了睡鄉中的纏綿，
這回味梅子般澀酸！

(62)

狂　癇

相思死了，
只有淚；
我夢裏的人呵，
知否？
我淚已盡！

眼裏星火飛迸·

(63)

★ 殘 夢 ★

燈火又這樣慘紅；

呵，

我神經已經惑燄！

墙上手槍在笑，

心中熱血怒潮；

乒　乒

我 Hysteria 般的瘋狂呵！

(64)

別了，我夢裏孤墳

這裏曾有她踏過的足塵，
這裏曾有她印下的指紋；
她那顫震的柔音，
到如今輕蕩在室中還沒曾消盡。
別了，我夢裏的孤墳，
我哪有心情再在此地追尋？

(65)

★　殘　夢　★

這裏曾留過同她晤談的歡欣，

這裏曾使我癲狂的迷亂昏沈；

我失眠不寐的通宵，

爲她也把斑斑的淚點溼透了薄衾，

別了，我夢裏的孤墳，

我心痛怕重看這頹敗的過痕！

(66)

冷 雨 殘 夢

姑娘啊，
冷雨殘夢，
我孤另的，
獨對銀燈。

聽窗外，
一聲聲，一聲聲，

(67)

★ 殘　夢 ★

凄迷，清冷，
似柔絲絞縈。

不堪惆悵，
不堪追悔；
雨裏的薔薇，
在霧裏枯萎！

斜風吹澈輕烟，
傷神——
唧住清淚，
心又怯懍。

我孤另的，

(68)

★ 殘　夢 ★

獨對銀燈，

姑娘啊，

冷雨，殘夢！

(69)

残笛

通夜的
華筵

消失在
隔院

唱亂了的
雞聲

(70)

★ 殘　夢 ★

我頹靡的
　　擁着
　　散盡暖氣——
　　　　薄衾

靜看——
　　那慘淡的
　　　暈着
　　　灰黃色
　　　　微光
　　　　——電燈！

喃喃的
　　　鶯聲
散亂了的

★ 殘　夢 ★

　　酒瓶
　啊，一切——
　　　　都化成
　　空——空
　　空——空

清冷
　　清冷
　　　　我孤寂的身
　　墜進
　　　　寒冽的
　　　　　　冰筒

我低徊

(72)

祇有漸白了漸白了的窗中
透進迷迷濛濛的雨聲

★ 殘 夢 ★

低徊着
　　那凄迷的
　　　　歡情
刹那中
　　已在——
　　　　殘宵
　　　　　　消淨

祇有——
　　漸白了
　　漸白了的
　　　　窗中
　　　　透進
　　　　迷迷

(73)

★ 殘 夢 ★

漾漾
　雨聲

淒零
　叮叮
淒零
　叮叮
　　一聲聲
　在敲我
　　　心鐘
　　一聲聲
　在叩我
　　　迷——夢！

(74)

愛 情 的 埋 葬

静臥在海濱之上那葺葺的碧岡，
失神的生生把『愛情』向著沙礫裏
　　埋葬；
看海沫擊着礁石的彼岸，
有幾個弄潮的小兒正在掀波舞浪。

我知道我終逃不出這銀灰色的濤光，

★ 殘　夢 ★

有生的晶靈又漸漸投向了浮濕的長夜
；
幻滅的飄帶已在雲衣之下搖曳搖曳，
讓我枯萎的寸心隨着流螢飛往腐草中
殞謝！

六，十四，

在炮台灣海濱。

(76)

幻 象 的 天 堂

—— 三獻我的Beatrice ——

姑 娘，你的靈魂雖然是長存世間，
但是我知道我們已絕再會的機緣
；

我此刻肩上負着沈重的悲苦辛酸，
踽踽的已經到了地獄的下邊，下邊。

(77)

★ 殘　夢 ★

我走過許多荒唐怪誕的奇蹟，
我親歷了多少巉巖險撓的山川；
天堂隱約的現在了淨土的後層，
姑娘，我如狂的又見了你素影翩躚。

啊，紅色，白色，綠色神秘的衣衫，
頂上又戴着橄欖葉兒的圈環；
智慧與和平又炫燿在我的我前，
姑娘，我夢，醉，失却了人間！

芳菲的花朵如雨般繽紛飛散，
天使們又舞唱在你清皎的身畔；
我渴念的人呵，請啓開你雪樣的幕面
　　，

(78)

★ 殘　夢 ★

引導我昇入了那幽幻極尖的晶天。

到此讓我冰浴在愛海的清波，
到此讓我又領略你光榮歡樂；
人間歡與愁的交縈溶洽忘却，
偉大的虛渺把我又從哀怨中救活。

呵，我知道這宇宙是烟雲的結華，
但是我怎能繼續的在這地獄中蹉跎；
姑娘，狹窄的生之路上我們是不能再
　　會呀！
而今，而今我又怕--利便又從理想的
　　塔上跌下！

(79)

最　後　的　一　笑

我已經忍着淚滴把相思疊起，
憑那悲苦的烈火喪送了畸零的身
　世，
誰承望在此漫漫的幽靜街衢，
無意中慘慘的又合你相遇了一次。

路塗是這般的滑潤泥濘，

★ 殘　夢 ★

梅雨又那樣的淒淒濛濛；

姑娘，你冒着雨兒何處行？

我枯乾的心花又在傷痛！

怕見的你那芳婆仍是舊時清癯，

踐碎我苦夢的步履仍是那般的亭亭；

啊，你那司生殺一般的倩影，

蕘然的在我碎心之上又添上了創痕慘

　　　紅。

我不願再追求那渺茫的黑影，

我久想作撲燈的飛蛾投向熱情中犧牲

　　　；

今生，今生這是你對我最後的一笑了

(81)

★ 殘　夢 ★

，

姑娘啊，墳墓中我也永不忘你這銳利
的剛刀一柄！

(82)

尾　聲

亭亭的倩影在鷄鳴中消淨，
朦朧的清夢在黎明時覺醒；
惟有滿腹沒有散盡煖氣的熱情，
尚在我洪爐般的心肺中煎熬沸騰！

慢慢的閃開酸酒沒漲的醉眼，
輕輕的踱出了白鴒翔飛在紫蘭叢中的

(83)

★ 殘　夢 ★

　　幽境；

聽那依依低亞的相思樹上，

泣血的子規又一聲聲哀婉淒嗚。

我靜看着那流盡了苦淚的燭灰，

我摸索着那猩紅疎綃的茜幔輕輕；

覺四周似水晶宮般寒冽冰冷，

使人戰慄的死神的更析伺打打不停。

心旌飄飄似在蕭颯寒林御着習習的秋

　　　風，

懷念悲痛盡系在白鶴的羽衫之上飛昇

　　　；

哪裏有使我沈醉縈惑的清酒？

(84)

凄玲的一聲奏罷了這樣餘意迷離的尾聲。

★ 殘 夢 ★

哪裏又有使我低徊不盡的歡情？

緊閉了少女素腕曾經叩過的心扉，
展放開伊人纖手揉搓碎了的胸懷；
那血淚紅絲織成的 Romance 的回憶
　　，
一切都萎棄在迷茫囂騰的蒼烟塵埃。

只賸有寥寥落落幾顆慘晤的殘星，
靜照着有生之倫曉粧在魚肚色的淡空
　　；
鄰院裏浮盪着慵倦的梵婀琳的絃音，
凄玲一聲奏罷了這樣餘意迷離的尾聲
　　！

(85)

集　　外

旅店中聞少女歌聲

你在那邊輕彈低唱，
我在這邊蕩氣廻腸；
只隔着一重薄薄的壁兒，
我已禁不住這清夜的淒涼！

你一陣陣玉屑琳瑯，
你一聲聲秋雨輕蕩；

（1）

★ 殘　夢 ★

一度一度斷入腸，

我已經心傷淚降！

可憐我浪跡他鄉，

最怕聽衰草中沙蟲寒聲；

誰想投止在荒涼店中，

旅店中，絃音下也是風露冷冷！

四周都是風露冷冷，

誰個不是天涯飄零？

姑娘，莫再彈吧！

你彈也，彈不盡人生苦夢。

我幾次想瞕進你的房間，

（2）

★ 殘 夢 ★

向你訴盡了孤另的酸情；
咳，相逢何必相見，
見時也不過相對黯黯！

彈吧，彈吧，莫要少住，
請你為我珍重這最後的一曲；
今宵，今宵在此地相遇，
明朝呵，我們又不飄流何處！

一九二八·四，九·
在青島海濱旅舍中

（3）

春　夜

東風已透過幾分？
又漾起了我春意紛紜；
縈亂了的幽思，
撥蕩了的心琴，
孤另的清夜，
怎奈得住這薄薄的寒衾！

（4）

★　殘　夢　★

窗內紅燈輕暈，

窗外冷雨淒咽；

我微動了的心呵，

我朦朧着的幻雲⋯⋯

分明看見他是素女的櫻唇，

分明聽見他是嫠婦的哀音；

呵，素女呀！呵，嫠婦！

此地也，春已深深！

我何嘗不想緊閉了瞳仁，

但是即使夢進了氤氳，

也是我孤另的一身。

假使眞有一個裸露的艷女，

睡夢中飛進了我的羅幃，

（5）

★ 殘 夢 ★

任她是魔鬼，

她是幽魂，

我也要在幻象中消解了我狂燒的內心

！

反側，難禁，

移過了燒殘的燭火，

推去了破敗的絮枕；

舌尖輕舐着自己灰敗的嘴唇，

手兒撫摩自己跳亂了的柔心，

在這靜悄悄的清夜，

讓我自己來痛吻，溫存。

（6）

卷　　末

我要愛，所以我要慘淡悲楚。

我要愛，所以我要受盡痛苦。

我要愛，就是爲一個接吻，我也願獻出我
　　的天才，我的情緒。

我要愛，就是爲着她，我也願我的顴頤瘦
　　處，常常的流下不涸的淚雨。

　　　　——法國，　Musset———

目　　　錄

1. 詩 目

獻詞

殘稿：

2· 畫 目

蒙

錢君匋兄爲繪封面，

吳清玠兄爲繪插圖，

徐迅雷兄爲繪飾畫，

孫孟濤兄爲署眉字，

均在此誌感！

勘　　誤

頁	行	字	錯	正
2	3	3	往	住
7	1	3	飄	飃
30	2	6	從	曾
32	2	11	翹	翅
32	5	9	翹	翅
44	第5行末一「姑」字移作第6行第一字			
56	4	8	進	追
59	1	3	叫	斟
60	1	5	叫	斟
81	4	7	婆	姿
84	7	10	析	桥

花木蘭文化事業有限公司聲明啓事